Lis, découvre
et comprends !

L'encyclopédie
des
petits

LAROUSSE

SOMMAIRE

LE CORPS

LA NAISSANCE D'UN BÉBÉ

Pour faire un bébé, il faut un papa et une maman qui s'aiment et qui décident d'avoir un bébé ensemble. Avant de naître, le bébé grandit pendant neuf mois dans le ventre de sa mère.

Quand une graine du papa rencontre une graine de la maman, un petit **œuf** se forme dans le ventre de la maman.

La maman est enceinte depuis **un mois**. Le futur bébé est petit comme un haricot mais son cœur bat déjà.

À **3 mois**, ce bébé miniature a beaucoup de place pour gigoter dans la poche remplie de liquide qui le protège.

À **4 mois**, le bébé dort beaucoup. Pour respirer et se nourrir, il est relié à sa maman par un tuyau, le cordon ombilical.

À **6 mois**, le bébé entend les bruits et les voix, bouge beaucoup, suce son pouce. Il ouvre les yeux.

À **8 mois**, le bébé a des ongles, des cheveux, des cils, des sourcils. Il est bien formé et n'a plus qu'à grossir.

LÉO ARRIVE !

Le ventre de maman a beaucoup grossi. Au bout de **9 mois**, tête la première, le bébé est prêt à naître !

Maman prépare les vêtements du bébé et part à la **maternité.**

Aidée par un médecin ou une sage-femme, maman va **accoucher.**

Léo est né ! Il respire pour la première fois et pousse un **cri.** Quel bonheur pour ses parents !

Après sa naissance, on a coupé le cordon ombilical de Léo. Il restera une petite cicatrice, le **nombril.**

PETIT OU NOMBREUX

Si un bébé naît trop tôt, il reste au chaud dans une **couveuse** pour finir de grandir.

Quand deux bébés grandissent en même temps dans le ventre de leur mère, ce sont des **jumeaux.**

LE CORPS BOUGE !

Nous sommes tous différents : petits ou grands, gros ou minces, bruns ou blonds, avec une peau claire ou foncée... Pourtant, à l'intérieur, nos corps sont faits de la même façon.

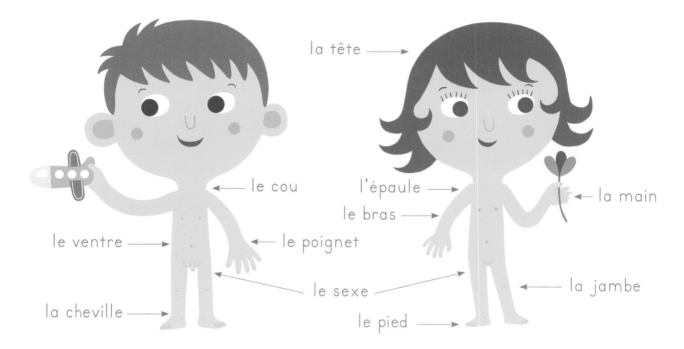

la tête

le cou

l'épaule

le bras

la main

le ventre

le poignet

le sexe

la jambe

la cheville

le pied

Les **filles** et les **garçons** ont presque le même corps avec une tête, deux bras et deux jambes. Mais leurs **sexes** sont différents.

Chacun a un visage **unique**, avec des yeux, un nez, une bouche, des cheveux et une couleur de peau différents.

LE SQUELETTE

Les 206 os de notre corps forment le **squelette.** Sans eux, le corps serait tout mou et ne pourrait pas tenir debout.

Les os du crâne forment une boîte qui protège le **cerveau**. C'est important car il commande tout ce que nous faisons !

LES MUSCLES

Nous bougeons grâce à nos **600 muscles** qui travaillent tout le temps, même quand nous rions, tirons la langue...

C'est bien de pratiquer un **sport** pour rendre les muscles plus gros et plus forts !

SAM S'EST CASSÉ LE BRAS.

Sam est tombé de son vélo et a très **mal** au bras.

À l'hôpital, la **radiographie** montre que le bras du petit garçon est cassé.

L'os est une matière vivante : il va se reformer. Mais il faut mettre le bras de Sam dans un **plâtre** pour qu'il ne bouge pas.

LES CINQ SENS

Nos cinq sens : la vue, l'ouïe, le goût, l'odorat et le toucher aident notre cerveau à observer et comprendre le monde qui nous entoure.

Sentir avec le nez

Entendre avec les oreilles

Goûter avec la langue

Voir avec les yeux

Toucher avec la peau

LA VUE

L'œil te permet de voir.

La lumière entre dans l'œil à travers la **pupille,** le petit rond noir au milieu de l'œil.

L'OUÏE

L'oreille te permet d'entendre.

Les sons faibles ou forts entrent dans l'oreille et font vibrer une petite peau, le **tympan.**

LE GOÛT

La langue te permet de goûter.

Sucré

Salé

Amer

Acide

La langue est couverte de petits points, les **papilles** qui permettent de sentir 4 saveurs.

L'ODORAT

Le nez te permet de sentir.

De petits **cils** à l'intérieur du nez reçoivent les odeurs, bonnes ou mauvaises, quand on respire.

LE TOUCHER

La peau te permet de toucher.

La peau nous dit si un objet est doux ou piquant, froid ou chaud, dur ou mou.

Amuse-toi !

Quand nos yeux nous jouent des tours...

Ces lignes te semblent peut-être penchées ? Elles sont pourtant bien droites !

Regarde cette image en t'approchant puis en t'éloignant. On dirait qu'elle bouge !

GRANDIR !

Depuis le jour de la naissance, le corps de l'enfant ne cesse de grandir et de changer jusqu'à ce qu'il devienne un adulte. En grandissant, l'enfant sait faire de plus en plus de choses.

Les **premiers mois,** le bébé grandit et grossit vite. Il boit du lait et pleure pour dire qu'il a faim ou qu'il a sommeil.

À **6 mois,** le bébé est capable de se tenir assis et d'attraper ses jouets. Ses premières dents de lait poussent.

Vers l'âge de **1 an,** le bébé commence à marcher tout seul et a envie de toucher à tout.

J'ai 2 ans.

Vers **2 ans,** le petit enfant commence à parler. Il marche bien, il court même !

À **3 ans,** le petit enfant ne met plus de couche : il peut aller à l'école maternelle.

À **6 ans,** l'enfant apprend à lire, à écrire. Ses dents de lait commencent à tomber. Il aura bientôt des dents de grand !

LE CORPS CHANGE

À partir de **12 ans**, l'enfant est un adolescent. Son corps se transforme.

Vers **14 ans**, la voix des garçons devient plus grave.

Vers **20 ans**, les os ont fini de grandir. Les jeunes sont devenus des adultes.

Vers **50 ans**, de petites rides apparaissent. Petit à petit, le corps vieillit.

Vers **80 ans**, on est une personne âgée. Le corps est plus fatigué, les os sont plus fragiles.

Amuse-toi !

Le médecin surveille que l'enfant **grandit, grossit** et se **repose** bien.

Sais-tu dire à quoi servent ces objets ?

N'oublie pas que pour être en forme, il faut aussi **se laver** tous les jours !

A. Une balance

B. un lit

C. une toise

Réponses : A. se peser - B. se reposer - C. se mesurer.

RESPIRER ET MANGER

Pour vivre, notre corps a besoin de l'air que nous respirons et de la nourriture que nous mangeons. Jour et nuit, à chaque instant, notre cœur bat et l'air entre et sort de nos poumons.

Quand on court, le **cœur** bat **vite**. Il se dépêche de pousser le sang dans tout le corps.

Quand on dort, le **cœur** bat plus **lentement**.

Nous respirons par le nez et la bouche jour et nuit car pour vivre, notre corps a besoin de l'**oxygène** de l'air.

Sous l'eau, on ne peut pas respirer.

14

POUR ÊTRE EN BONNE SANTÉ, IL FAUT MANGER UN PEU DE TOUT !

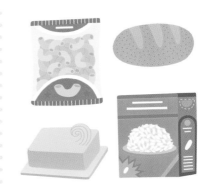

Du pain, des pâtes, du riz, du beurre pour avoir de l'**énergie**.

De la viande, des œufs, du poisson, des laitages pour grandir et avoir des **os solides**.

Des fruits et des légumes, car ils contiennent de bonnes **vitamines** et aident à garder le corps en bonne santé.

Adam transpire !

Notre corps contient beaucoup d'**eau**. On en perd quand on fait un effort ou quand il fait chaud. Il faut donc boire souvent pendant la journée.

Les aliments que nous mâchons font un long voyage : c'est la **digestion**. Ce qui est bon pour notre corps va dans le sang, le reste est éliminé aux toilettes !

Amuse-toi !

Il ne faut pas manger trop de nourriture grasse et sucrée, car on risque de trop grossir. Regarde ces trois repas. Un seul est bien équilibré. **À toi de choisir le bon !**

A.

chips - saucisson - bonbons - soda

B.

œufs - pâtes - pain - gâteau

C.

tomates - poulet/haricots verts et riz - fromage - fruits

Réponse : c

15

PETITS BOBOS, PETITES ÉMOTIONS !

Il nous arrive parfois d'avoir des petits bobos ou des maladies. Heureusement, notre corps «parle» et sait se défendre !

Quand on s'écorche, un peu de **sang** coule. Une croûte se forme pour protéger la blessure.

Lorsqu'on se cogne, les petits vaisseaux sous la peau laissent s'échapper du sang. Un **bleu** apparaît. Sur la tête, c'est une **bosse**.

Des petites bêtes, les **poux**, se mettent parfois dans les cheveux. Il faut les éliminer avec un shampooing spécial.

Il ne faut pas gratter les boutons de varicelle !

Pour enlever les morceaux de nourriture coincés entre les dents, il faut les brosser après chaque repas sinon de petits trous se forment, les **caries**.

On peut attraper une maladie « contagieuse », c'est-à-dire qui se **transmet** facilement. Les vaccins protègent de maladies dangereuses.

TOM EST MALADE

Tom a mal à la gorge, aux oreilles, au ventre. Il est attaqué par des **microbes** !

Les microbes, qu'est-ce que c'est ?

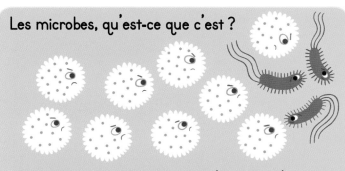

Invisibles, ils sont partout dans l'air, dans l'eau... Certains nous rendent malades. Heureusement, des **globules** dans notre sang sont là pour nous défendre !

Le **médecin** vient examiner Tom. Il écoute son cœur et ses poumons avec un stéthoscope, palpe son ventre, regarde sa gorge et ses oreilles.

Le médecin lui prescrit des **médicaments**. Même s'ils ont mauvais goût, il faut les prendre pour être vite guéri !

NOTRE CORPS MONTRE NOS ÉMOTIONS.

On saute dans tous les sens quand on est **joyeux**.

On tape des pieds et on rougit quand on est **en colère**.

On devient tout pâle quand on a **peur**.

LA MAISON
ET LA VILLE

À LA MAISON

La maison, c'est l'endroit où vit la famille. En ville, on habite dans un immeuble ou dans une maison à étages.

Dans la **chambre**, les enfants jouent, lisent et dorment.

Les parents ont leur propre chambre, avec un grand lit.

Dans le **salon**, on peut regarder la télévision, utiliser l'ordinateur...

Dans la **salle de bains**, on se lave chaque jour.

Dans l'**entrée**, on accroche les vêtements au portemanteau.

À l'heure du repas, toute la famille est réunie dans la **cuisine** !

Dans un immeuble, **l'ascenseur** permet d'atteindre facilement les étages. Les enfants n'ont pas le droit de monter seuls.

Dans les petites villes ou à la campagne, les maisons ont souvent un **jardin**.

LA MAISON PEUT ÊTRE DANGEREUSE. LES PARENTS APPRENNENT AUX ENFANTS À FAIRE ATTENTION.

Il est **interdit** de toucher : aux objets brûlants ou coupants...

... aux produits du ménage, aux prises électriques...

Amuse-toi !

Regarde bien les pièces de la maison et trouve :

l'ours en peluche   le réveil   le dentifrice   la carafe d'eau   la télécommande de la télévision

21

DANS LA RUE

Du matin au soir, des voitures, des motos, des bus, des vélos et des piétons circulent dans la rue. La rue appartient à tous. Pour qu'elle reste agréable, chacun doit respecter des règles.

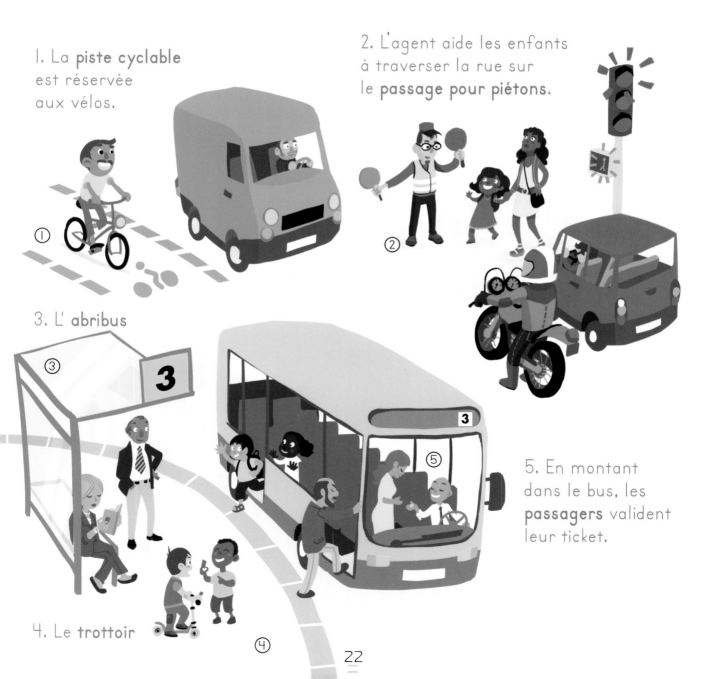

1. La **piste cyclable** est réservée aux vélos.

2. L'agent aide les enfants à traverser la rue sur le **passage pour piétons.**

3. L' **abribus**

4. Le **trottoir**

5. En montant dans le bus, les **passagers** valident leur ticket.

22

LA SÉCURITÉ

À pied, il faut être prudent et toujours marcher sur le **trottoir**.

Pour traverser, on attend que le **feu** soit rouge pour les voitures et le petit bonhomme, vert.

CHEZ LE GARAGISTE

Ce matin, la voiture de Monsieur Arthur est en **panne** !

LES MÉTIERS

Les **éboueurs** vident les poubelles dans le camion-benne.

Le **facteur** parcourt les rues du quartier et distribue le courrier.

Une **dépanneuse** arrive et la remorque jusqu'au garage.

La nuit, la ville est encore pleine de vie. **Restaurants, cafés, cinémas** restent ouverts tard.

Les **policiers**, les **médecins**, parfois les **ouvriers** travaillent la nuit.

Le **mécanicien** répare la pièce cassée. Un peu d'essence dans le réservoir et la voiture repartira !

LE CHANTIER DE CONSTRUCTION

Sans cesse, la ville se transforme et s'agrandit. Pour construire un nouvel immeuble, toute une équipe travaille sur le chantier. De gros engins manœuvrent.

1. La **pelleteuse** creuse un trou profond pour les fondations.

2. La **grue** peut soulever des matériaux très lourds.

3. Dans la **bétonnière**, on fabrique le béton qui sert à construire les murs.

4. Sur le chantier, il est obligatoire de porter un **casque**.

SOUS TERRE...

De nombreux **câbles** transportent l'électricité et le gaz jusqu'à nos maisons.

Dans de gros **tuyaux** circule l'eau potable et dans d'autres, les eaux sales.

QUI CONSTRUIT LES MAISONS ?

L'**architecte** a dessiné les plans de l'immeuble. Avec le **chef de chantier**, il dirige les travaux.

Le **maçon** monte les murs, les cloisons et pose les planchers.

Le **charpentier** met en place la charpente qui porte le toit. Le **couvreur** pose les tuiles.

Le **plombier** installe les tuyaux d'eau. L'**électricien** fait passer les fils électriques.

Le **carreleur** pose les dalles du sol. Le **peintre** peint les murs.

... IL SE PASSE BEAUCOUP DE CHOSES !

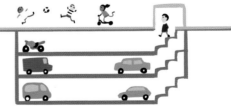

Dans les grandes villes, un drôle de train roule sous les rues, le **métro**.

Difficile de se garer en ville ! Heureusement, on construit des parkings **souterrains**.

DANS LES MAGASINS

Dans la ville, il y a des petits magasins de quartier ou de grands supermarchés. On trouve tout ce qu'il faut pour nourrir, habiller et divertir la famille.

ON VA FAIRE LES COURSES !

Le boulanger a travaillé une partie de la nuit pour préparer le pain et les gâteaux vendus dans sa **boulangerie.**

À la **boucherie,** on peut acheter la viande découpée et préparée par le boucher.

Quel livre choisir dans la **librairie** ? Romans pour les parents, albums pour les enfants. Le libraire est là pour nous aider.

Changement de saison, vêtements trop petits, il est temps d'aller essayer de nouveaux **habits** !

Le jour du **marché,** la place s'anime. Les commerçants installent leurs étals de fruits et légumes, de fromages, de fleurs...

AU SUPERMARCHÉ

Les clients se servent tout seuls dans les rayons.

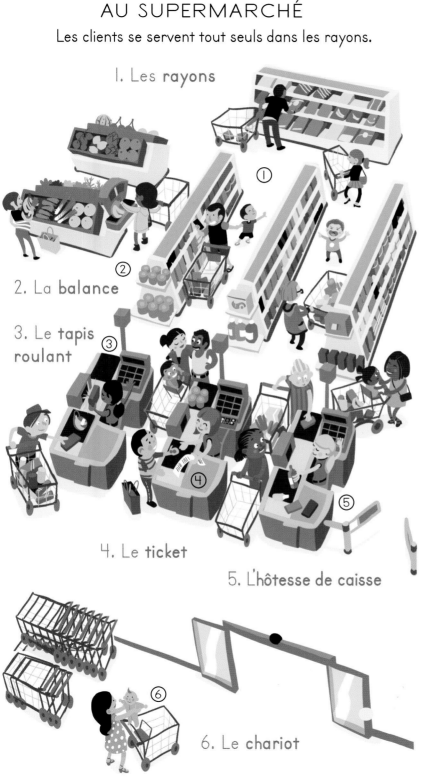

1. Les **rayons**

2. La **balance**

3. Le **tapis** roulant

4. Le **ticket**

5. L'**hôtesse de caisse**

6. Le **chariot**

D'OÙ VIENT LE POISSON QUE L'ON MANGE ?

Ce bateau de pêche traîne un large filet, le **chalut**, pour attraper des bancs de poissons.

De retour au port, les poissons sont transportés dans des camions **frigorifiques** pour rester bien frais.

Sur l'étal du **poissonnier**, bars, sardines, merlans sont posés sur de la glace. Vivement le repas !

EN ROUTE POUR L'ÉCOLE !

Vers 3 ans, les enfants entrent à l'école maternelle pour apprendre à compter, à dessiner, à reconnaître les lettres et aussi à vivre ensemble.

UNE JOURNÉE PLEINE DE VIE

Le matin, chacun accroche son manteau au **portemanteau** et dit bonjour à la maîtresse.

Vive les ateliers ! Chaque groupe a son activité : **peindre** un masque, **compter**, **découper**...

Dans la **salle de jeux**, les enfants sautent, grimpent, font des roulades.

À midi, on a faim !
On mange à la **cantine**.

Les petits se reposent dans le **dortoir**. Chut, les grands !

Pendant la **récréation**, tout le monde court dans tous les sens. Les enfants jouent, crient, se défoulent !

Une dernière chanson et c'est **l'heure** des mamans, des papas, des nounous...

POUR APPRENDRE AVEC PLAISIR, IL Y A DES RÈGLES À RESPECTER !

On **ne doit pas** se bagarrer, taper, faire mal aux autres enfants.

On ne doit ni courir ni crier en classe. Pour parler, il faut **lever la main.**

Il faut prendre soin des jeux et aider à les **ranger** à la fin des ateliers.

PETITS CHAGRINS ET GRANDS BONHEURS...

Il arrive de tomber ou de se disputer avec un copain. Mais la maîtresse est là pour **tout arranger** !

On **partage** des secrets avec ses nouveaux amis et on est fier de montrer à ses parents tout ce qu'on a appris !

Amuse-toi !

COMPTINE
Le **lundi** est tout *gris*
Jaune clair est le **mardi**
Mais voici **mercredi** *rose*
On se repose

Jeudi *bleu* vient à son tour
Vendredi *vert* le suit toujours
Samedi *rouge*
Dimanche *blanc*
C'est la joie des enfants.

LES ACTIVITÉS DE LOISIRS

Le soir ou le mercredi, les activités permettent aux enfants de se détendre et de découvrir plein de nouvelles choses.

À LA BIBLIOTHÈQUE

On peut lire des **albums** qui racontent des histoires ou des **documentaires** qui expliquent la vie des animaux, des hommes...

Chacun s'assoit pour **regarder** les livres ou pour **écouter** la bibliothécaire raconter une histoire.

On peut **emprunter** les livres quelques semaines pour les lire à la maison, sans les abîmer. Il faut ensuite les **rapporter.**

Parfois, l'**auteur**, qui écrit, l'**illustrateur**, qui dessine, et l'**éditeur** qui prépare tout pour faire imprimer le livre, sont invités.

RECONNAIS-TU CETTE HISTOIRE EN IMAGES ?

Réponse : Les Trois Petits Cochons

AU CONSERVATOIRE

On apprend à **lire** les notes, à **jouer** d'un instrument et à **chanter**.
La **musique**, c'est agréable !

À la **chorale**, les enfants chantent ensemble.

Des instruments à **cordes** :
la guitare, le violon,
le violoncelle, le piano.

Des instruments à **percussion** :
la batterie, le xylophone, le tambourin,
les maracas.

Des instruments à **vent** :
le saxophone, la trompette,
la clarinette.

Les musiciens lisent la musique sur des **partitions**.

À LA PISCINE

À la piscine, on est heureux d'apprendre à nager, à sauter, à plonger ou à mettre la tête sous l'eau !

LOU VA NAGER

Dans la **cabine**, Lou se déshabille et enfile son maillot de bain.

Elle range ses habits dans un **casier** fermé à clé.

Avant d'aller vers les bassins, elle se **douche**.

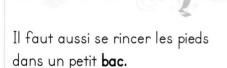

Il faut aussi se rincer les pieds dans un petit **bac**.

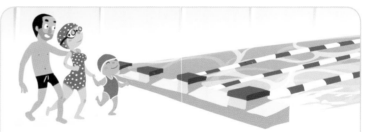

Son **bonnet de bain** sur la tête, elle est prête à se mettre à l'eau. Attention, sur le rebord, ça glisse !

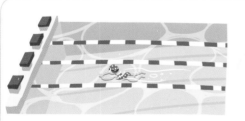

Maman nage le **crawl** dans le grand bassin.
Lou préfère **sauter** dans le petit bassin avec sa frite !

Après avoir bien joué, il est temps de **se rincer** puis de **se sécher** !

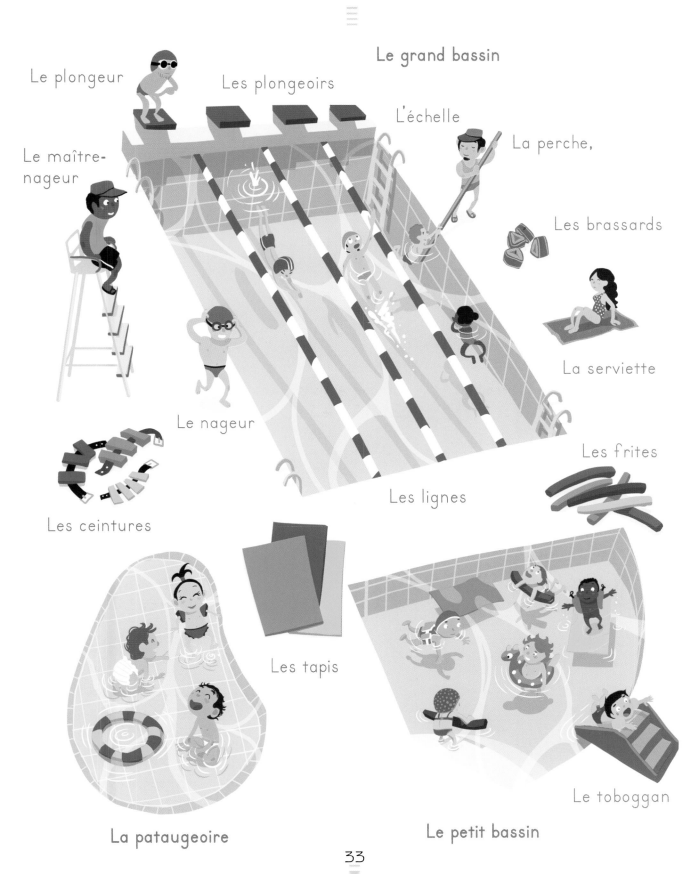

Le grand bassin

Le plongeur

Les plongeoirs

L'échelle

La perche,

Le maître-nageur

Les brassards

La serviette

Le nageur

Les frites

Les ceintures

Les lignes

Les tapis

La pataugeoire

Le toboggan

Le petit bassin

33

VIVE LE SPORT !

Pratiquer un sport aide à se sentir bien dans son corps.
On dépense son énergie et on s'amuse en respectant des règles !

LE FOOTBALL

Les joueurs portent des chaussures à **crampons**.
Ils s'entraînent à maîtriser le **ballon** avec les pieds.

Pendant les deux **mi-temps** du match, chaque équipe essaie d'envoyer le plus souvent possible le ballon dans les **buts** de l'autre.

LE JUDO

Au début de la séance, les enfants, habillés de **kimonos**, se saluent puis s'échauffent sur le **tatami**.

Lors des **combats**, on essaie de faire **tomber** son partenaire en le tirant ou en le poussant mais sans lui faire mal !

AU CENTRE D'ÉQUITATION

Équipée d'un casque et de bottes, cette **cavalière** est prête.

La monitrice apprend à faire avancer le **poney**, à le faire tourner ou s'arrêter.

SUR LE COURT DE MINI-TENNIS

Pour apprendre, on commence par slalomer entre les plots ou lancer la **balle** dans le cerceau.

Sur un petit terrain, les enfants font des échanges avec des **raquettes** et des balles en mousse.

LE COURS DE DANSE

Dans le vestiaire, Lila enfile sa tenue : collant, **tutu** et chaussons roses.

À la **barre**, elle s'échauffe et fait des ronds de jambes...

Au rythme de la musique, elle apprend les pas du prochain **ballet**.

LA CASERNE DE POMPIERS

Jour et nuit, dans la caserne, les pompiers sont en alerte.
En cas d'accident ou d'incendie, ils sont là pour nous secourir.

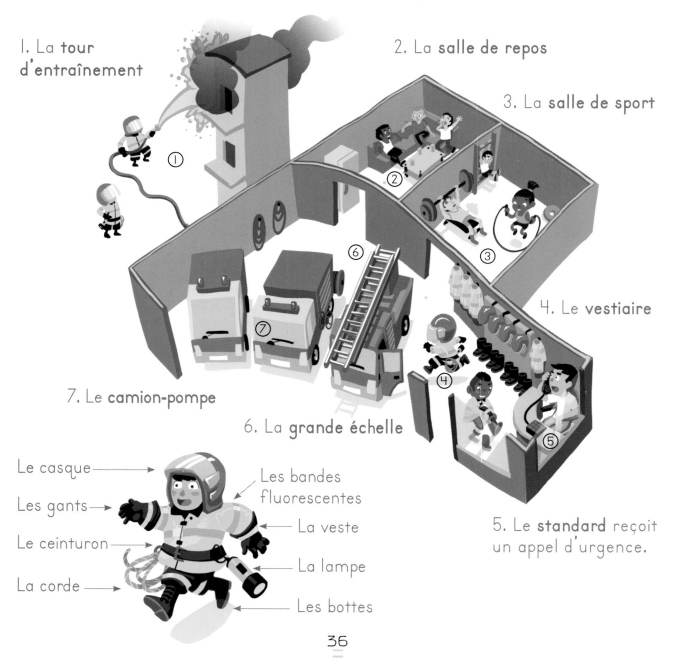

1. La **tour** d'entraînement

2. La **salle de repos**

3. La **salle de sport**

4. Le **vestiaire**

5. Le **standard** reçoit un appel d'urgence.

6. La **grande échelle**

7. Le **camion-pompe**

Le casque

Les gants

Le ceinturon

La corde

Les bandes fluorescentes

La veste

La lampe

Les bottes

L'INCENDIE

L'immeuble est **en feu** ! Vite, un voisin a appelé les pompiers.

Avec la **grande échelle**, certains portent secours aux habitants bloqués dans les étages.

D'autres projettent de l'eau sur les flammes avec la **lance d'incendie.**

L'INONDATION

Avec leurs **canots pneumatiques**, les pompiers sauvent aussi les habitants bloqués par l'eau.

L'ACCIDENT

Après un accident, les pompiers arrivent toujours très vite pour s'occuper des **blessés.**

Amuse-toi !

Regarde bien les images : sais-tu où se passent ces opérations de secours ?

1.   2.   3.

Réponses : 1. En forêt - 2. En montagne - 3. En mer

BIENVENUE AU CIRQUE !

De ville en ville, le cirque voyage et présente son spectacle.
Les numéros d'artistes s'enchaînent sur la piste. Quelle magie !

1. La **ménagerie**

2. Le **camion-cage** des fauves

3. Les **jongleurs**

4. Les **musiciens**

5. Les **caravanes** des artistes

6. La **voiture publicitaire**

7. Les **gradins**

8. La **piste**

9. Le **chapiteau**

QUE LE SPECTACLE COMMENCE !

Dans son micro, **M. Loyal** annonce les numéros.

Les **trapézistes** s'élancent dans le vide, virevoltent dans les airs et se rattrapent.

Les spectateurs tremblent en regardant le **dompteur** claquer son fouet face aux lions et aux tigres.

Les **clowns** au nez rouge sont les rois de la farce. Ils **jonglent**, jouent de la trompette et tout le monde rit aux éclats !

Quelle pyramide impressionnante ! Les **voltigeurs** doivent garder l'équilibre sur leurs chevaux.

Robuste et imposant, l'éléphant est capable d'**acrobaties** étonnantes.

C'est le final ! Tous les **artistes** défilent en musique sur la piste et saluent le public.

Amuse-toi !

C'est facile de dessiner une tête de clown. Regarde !

1.　　　2.　　　3.

EN VOYAGE

Voyager en train, décoller en avion vers un pays lointain...
Il existe différents moyens de transport qui vont vite !

LA GARE

On achète son billet au **guichet**, avant de prendre le train.
Il faut le **valider** avant de partir.

Le numéro du **quai** où est garé son train est indiqué sur le **tableau d'affichage.**

Le **TGV** file à grande vitesse sur les **rails.** Assis à une place réservée, on est bien installés !

Le contrôleur vérifie les billets des **voyageurs**, même dans le wagon-restaurant !

Seul dans sa **cabine**, le **conducteur** surveille la vitesse, les signaux sur les voies, contrôle l'arrêt du train en gare...

L'AÉROPORT

1. Les **contrôleurs aériens** guident les avions.

2. Dans l'**aérogare**, les passagers attendent.

3. Les avions décollent ou atterrissent sur la **piste**.

4. En vol, le **commandant de bord** et son **copilote** dirigent l'avion.

5. L'**hôtesse** appelle les passagers dans la **salle d'embarquement**.

6. La **passerelle** permet de monter à bord de l'avion.

LE VOYAGE D'UNE VALISE

La **valise** est pesée et l'hôtesse colle une étiquette qui indique sa **destination**.

Un grand circuit de tapis, le **carrousel**, dirige la valise vers le bon avion.

Le **train à chariots** transporte la valise. Hop, la voilà dans la **soute** à bagages !

L'HISTOIRE

· · · · · · · · · · · ·

AU TEMPS DES DINOSAURES

Il y a très longtemps, de «terribles lézards», les dinosaures, vivaient sur la Terre. Il y en avait de tout petits et de très très gros ! Heureusement, les hommes n'existaient pas encore !

Un **brachiosaure**

Un **stégosaure**

Un **allosaure**

Au début, il faisait **chaud.** La Terre était couverte de forêts mais il n'y avait pas d'herbe et pas de fleurs.

Un **ankylosaure**

Un **bec de canard**

Un **tricératops**

Les bébés dinosaures naissaient dans des **œufs.**

Plus tard, il a fait plus **frais.** L'herbe et les fleurs sont apparues.

Les **dinosaures** ont quatre pattes, une tête, une queue,
des écailles colorées sur la peau mais ils sont tous différents !

Le plus gigantesque
le diplodocus

Il mange des **plantes**.

Le plus féroce
le tyrannosaure

Avec ses dents pointues, il mange des **animaux**.

Le plus petit
le compsognathus

Il n'est pas plus gros
qu'une poule.

Le plus rapide
le gallimimus

Il court plus vite qu'une mobylette
qui roule à vive allure.

Le plus griffu
le thérizinosaure

Il porte les plus grandes
griffes de tous les temps.

Amuse-toi !

Essaie de retrouver
l'empreinte :
🐾 du diplodocus
🐾 du compsognathus
🐾 du tyrannosaure

À qui sont ces empreintes ?

A.   B.   C.

Réponses : A. un compsognathus - B. un tyrannosaure - C. un diplodocus

LA PRÉHISTOIRE

Les hommes sont apparus sur la Terre puis ont évolué pour devenir des hommes qui nous ressemblent.

Il y a 3,5 millons d'années

L'australopithèque marche sur ses deux jambes mais n'est pas encore un homme.

Il y a 2,5 millons d'années

L'Homo habilis est le premier homme. Il est le premier à fabriquer des outils en pierre.

Il y a 1,7 millon d'années

L'Homo erectus se redresse. Il peut mesurer 1,50 m. Il découvre le feu.

Il y a 300 000 ans

L'homme de **Neandertal** est très fort. C'est un excellent chasseur. Mais il a disparu de la planète.

Il y a 40 000 ans

L'homme de **Cro-Magnon** nous ressemble. Son cerveau est aussi gros que le nôtre.

CRO-MAGNON : UNE ViE BiEN REMPLiE

Cro-Magnon ne vit pas dans les grottes.
Il construit des campements de **tentes** fabriquées
avec des os, du bois, des peaux de bêtes.

Les hommes partent **chasser** des lièvres,
des rennes, des oiseaux. Ils **pêchent** aussi
les poissons de la rivière.

Restés au camp,
les enfants apprennent
à tailler les **silex.**

Les femmes cousent
les vêtements en peaux
à l'aide d'aiguilles en **os.**

Les **repas** sont variés : soupe chauffée
aux pierres brûlantes, poisson ou viande
grillés sur le feu, fruits et racines...

Cro-Magnon est un **artiste.** Il peint sur
les murs des grottes des dessins d'animaux.

Pour suivre les animaux qu'ils chassent,
les hommes de Cro-Magnon doivent souvent
voyager. Ils sont **nomades.**

L'ÉGYPTE DES PHARAONS

L'Égypte est un grand pays de désert, traversé par un fleuve immense, le Nil. Grâce au Nil, l'Égypte des pharaons a été pendant longtemps un pays riche.

Chaque année, le **Nil** déborde et dépose de la boue qui permet aux plantes de bien pousser.

Les paysans cultivent le **blé** pour préparer du pain, et du **lin** pour fabriquer des vêtements.

Les Égyptiens pêchent les **poissons** du Nil, mais gare aux crocodiles !

Des bandes de papyrus

Avec une plante, le **papyrus**, les Égyptiens fabriquent des rouleaux pour écrire.

LE PHARAON ET LES PYRAMIDES

Pharaon est le **roi** des Égyptiens. Il est le fils de Rê, le «dieu soleil».

Pour la gloire de Pharaon, des ouvriers bâtissent une gigantesque **pyramide** de pierre. Ils tirent les blocs à la force de leurs bras. Quel travail !

Sur son **char**, Pharaon mène son armée à la guerre.

À sa mort, le corps de Pharaon est transformé en **momie**. On l'entoure de bandelettes. Il est ensuite placé dans une grande boîte, le **sarcophage**.

Puis, Pharaon est **enterré** dans la pyramide avec ses objets précieux et de la nourriture, car les Égyptiens croient à la vie après la mort.

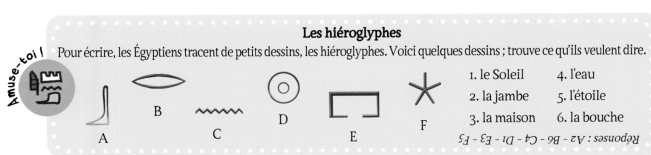

Les hiéroglyphes

Pour écrire, les Égyptiens tracent de petits dessins, les hiéroglyphes. Voici quelques dessins ; trouve ce qu'ils veulent dire.

Amuse-toi !

A   B   C   D   E   F

1. le Soleil   4. l'eau
2. la jambe   5. l'étoile
3. la maison   6. la bouche

Réponses : A2 - B6 - C4 - D1 - E3 - F5

LES VIKINGS, DE GRANDS EXPLORATEURS !

Les Vikings habitent les pays du Nord. Ils sont bons marins et bons commerçants. Au Moyen Âge, ils décident d'explorer de nouveaux pays pour s'y installer !

Les **Vikings** recherchent des terres inconnues en traversant les océans à bord de leurs navires rapides et légers : les drakkars.

Les **drakkars** sont décorés à l'avant d'une tête de dragon pour effrayer l'ennemi...

Armés de haches, de glaives et de boucliers, les Vikings font **peur** à leurs adversaires car ils sont très forts.

Les Vikings prient de nombreux **dieux** : *Odin* sur son cheval est le dieu de la guerre ; *Thor* le guerrier est le dieu du tonnerre.

Très habiles, les vikings fabriquent des **bijoux** en or et en argent d'une grande beauté.

ERIK LE ROUGE DÉCOUVRE DE NOUVELLES TERRES

Le Viking *Erik le rouge* est un **aventurier** aux cheveux roux. Il décide de quitter l'Islande, son pays, pour explorer les mers.

Pendant des jours, il ne voit rien à l'horizon. Sur la mer, des blocs de glace flottent. Il fait de plus en plus **froid**...

Enfin, un matin : « Côtes en vue ! » Il découvre un nouveau pays qu'il nomme dans sa langue **Groenland**. Cela veut dire « terre verte ».

De retour en Islande, 400 personnes acceptent de le suivre au Groenland.

Erik le rouge devient le **chef** du premier village. Les habitants élèvent des vaches, des chèvres, ils chassent le phoque ou le renne.

Plus tard, son fils, *Leif Ericson*, découvre, lui aussi, une autre terre qu'il appellera « Vinland ». C'est l'**Amérique** !

LE CHEVALIER ET LE CHÂTEAU FORT

Le chevalier est un guerrier du Moyen Âge.
Il protège les terres de son seigneur et habite son château.

À cheval, le **chevalier** combat les ennemis du seigneur.

Dans la bataille, fort et courageux, il accomplit des **exploits.**

L'**épée** est son arme favorite.
Il porte aussi de lourdes **armures** pour se protéger.

Pour devenir chevalier, il faut s'entraîner très **jeune.**

Chaque chevalier a son **blason.**
Il le dessine sur son bouclier pour être reconnu.

Le château fort est la maison du **seigneur.** Il habite avec sa famille dans le donjon.

1. Les **murailles** protègent le château des attaques.

2. Au sommet des **tours,** les soldats montent la garde.

3. La **basse-cour**

4. La **herse**

5. Les **douves**

6. Le **pont-levis**

Les personnes qui travaillent pour le seigneur vivent dans la **basse-cour.**
On y trouve des chevaux, des cochons, des poules, un potager...

L'ATTAQUE DES PIRATES !

Les pirates sont des bandits des mers.
Ils chassent des trésors en attaquant des navires.

1. Le **capitaine** :
il commande et fait très
peur à l'équipage...

2. Les **matelots** :
anciens marins,
ils veulent devenir riches.

3. Le **cuisinier** :
il prépare
un ragoût
de requin
pour le soir !

4. Le **charpentier** :
il répare
le bateau
ou opère
les blessés.

Le **navire** des pirates est rapide et facile à manœuvrer.

LA VIE DES PIRATES

De très bons marins...

Les pirates connaissent la **mer** comme leur poche !

... armés jusqu'aux dents !

Sans arme, pas de pirate ! Ils ont des **sabres**, des **pistolets** et des **poignards**.

Le pavillon

Chaque capitaine pirate choisit son drapeau. Appelé **pavillon noir**, il effraie l'ennemi.

L'abordage

Pour surprendre les navires, les pirates attaquent souvent la **nuit**.

Le trésor

Après la bataille, chacun reçoit sa part du **trésor**.

Retrouve dans la grande scène du bateau :

Amuse-toi !

le pirate à jambe de bois

le perroquet

la malle aux trésors

le pavillon noir

LOUIS XIV
DANS SON CHÂTEAU

Louis XIV est un roi de France puissant. Tout le monde lui obéit. Il mène au château de Versailles une vie de luxe.

Un enfant roi

Louis XIV n'a que 5 ans quand il devient **roi**.

Le Roi-Soleil

Il dit qu'il est puissant comme le **Soleil**.

Un roi artiste

Très jeune, il aime la danse, la musique et le théâtre.

Un roi conquérant

Louis XIV engage souvent la France dans des **guerres** pour agrandir le royaume.

Un roi important

À Versailles, il fait construire un **château** qui doit être le plus beau !

UNE JOURNÉE AVEC LOUIS XIV À VERSAILLES

7h30 – *Le petit lever*

Le matin, Louis XIV est **réveillé** par son valet :
« Sire, voilà l'heure. »

10h – *La messe*

Le roi assiste à la messe dans la **chapelle** du château.

11h – *Le conseil*

Il écoute le conseil de ses **ministres** mais prend les décisions seul.

13h – *Le repas privé*

Le roi déjeune **seul** mais ses courtisans peuvent le regarder.

14h – *La chasse*

Souvent Louis XIV part chasser le gibier dans le parc du château. C'est son **sport** favori !

18h – *Le travail*

Le roi lit, signe les **lois** ou les lettres importantes.

22h – *Le souper du grand couvert*

Le roi dîne avec sa **famille** et de nombreux **invités**.

23h30 – *Le coucher*

Le roi se retire dans ses **appartements**.

VERS 1900, DE GRANDS CHANGEMENTS

Au début du XXe siècle, des progrès techniques rendent la vie des hommes plus facile. Et les enfants doivent aller à l'école !

L'**eau** arrive par le robinet dans la maison : plus besoin d'aller la chercher au puits.

Grâce à l'**électricité**, les maisons sont bien éclairées.

Les **vaccins** permettent de mieux protéger les enfants contre les maladies.

Des hommes réussissent à s'envoler dans les airs à bord d'**avions à hélice**.

Le tout nouveau **cinématographe** rencontre un grand succès !

À Paris, une tour entièrement en fer se construit : c'est la **tour Eiffel**.

UN AVENTURIER TRAVERSE L'ATLANTIQUE !

20 mai 1927 – New York – 7h30 du matin

L'aventurier **Charles Lindbergh** démarre le moteur de son **avion.** Il va traverser l'océan !

Le **décollage** est difficile car, avec tant d'essence dans le réservoir, l'avion est lourd… Il évite de justesse un tracteur !

Au-dessus de l'océan – 8h du soir

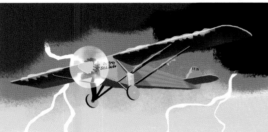

L'aviateur lutte contre le sommeil. Un énorme orage éclate. Son avion est **couvert de glace.**

Le lendemain – 10h du matin

L'aviateur aperçoit des bateaux de pêche… Hourra, c'est la côte de l'**Irlande.** Paris n'est plus très loin !

21 mai – Paris – 22h (17h à New York)

Charles Lindbergh atterrit, acclamé par une foule immense. C'est un **héros** !

Il est le **premier** aviateur à relier New York à Paris, seul, sans escale en… 33 heures 30 !

LE MONDE D'AUJOURD'HUI

Tous les hommes ne profitent pas de la même façon des progrès techniques. Et ces avancées ne sont pas toutes bonnes pour l'homme et sa planète !

Plus de la moitié des habitants de la Terre vivent dans de **grandes villes**, dans des immeubles de plus en plus hauts !

Avec la télévision, Internet, le téléphone portable, chacun sait **rapidement** ce qui se passe sur la Terre.

Grâce aux avions, aux TGV, les hommes peuvent bouger, **se déplacer** très **vite**.

Chaque pays peut **vendre** ses marchandises dans **le monde entier**.

Les astronautes vont même visiter l'**espace** à bord de navettes spatiales.

IL Y A ENCORE DES PROGRÈS À FAIRE !

Comme dans la famille de Pedro, beaucoup d'habitants de la planète sont encore **très pauvres.**

Certains pays ont **beaucoup** de richesses : de l'eau, du pétrole... ou peuvent les acheter. D'autres n'ont **rien** !

Internet, pour « discuter » à l'autre bout de la Terre, c'est bien, mais il ne faut pas oublier de **parler** « pour de vrai » à son **voisin** !

Les voitures, les avions vont vite mais ils **polluent** la planète. Les hommes ou les animaux risquent de ne plus pouvoir y vivre.

LA NATURE

· · · · · · · · · · · ·

LES SAISONS

En France et en Europe, l'année comporte
quatre saisons. À chaque saison, la nature change.

Hiver
du 21 décembre au 20 mars

Il fait **froid.** Il faut s'emmitoufler pour sortir.
Les plantes aussi vivent bien **cachées.**

Printemps
du 21 mars au 20 juin

La température **remonte.** Les oiseaux se mettent
à chanter. Les premières fleurs **poussent.**

Été
du 21 juin au 22 septembre

C'est la saison la plus **chaude.** Les jours sont longs,
ce qui permet de faire plus d'activités dehors.

Automne
du 23 septembre au 20 décembre

Il **pleut** souvent. C'est la saison des châtaignes
et des champignons.

LA VIE D'UN ARBRE AU FIL DES SAISONS

En **hiver**, l'arbre est tout **nu**. Il est au repos.

Au **printemps**, les **bourgeons** s'ouvrent. Les feuilles et les fleurs apparaissent.

En **été**, le feuillage est **vert** et touffu. L'arbre porte des fruits.

En **automne**, les feuilles changent de couleur et finissent par **tomber**.

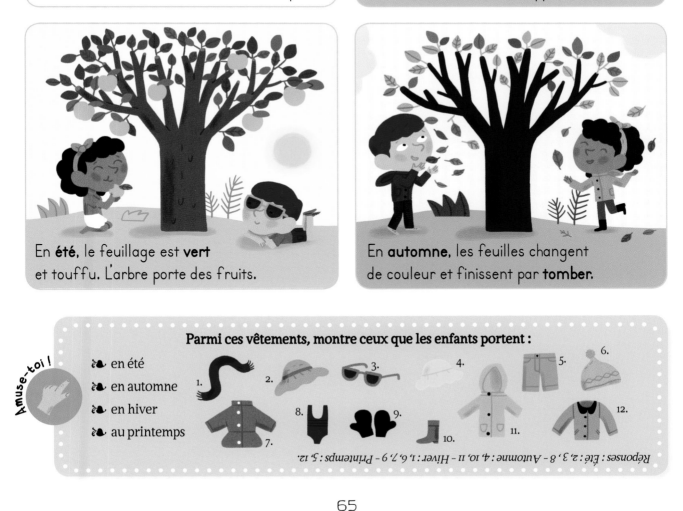

Amuse-toi !

Parmi ces vêtements, montre ceux que les enfants portent :

🐾 en été
🐾 en automne
🐾 en hiver
🐾 au printemps

Réponses : Été : 2, 3, 8 – Automne : 4, 10, 11 – Hiver : 1, 6, 7, 9 – Printemps : 5, 12.

À LA CAMPAGNE

À la campagne, le cultivateur fait pousser des plantes dans les champs et les jardins.

Dans le **champ**, l'agriculteur récolte le blé pour faire de la farine.

Une moissonneuse-batteuse

Au **verger**, on trouve des arbres fruitiers :

des pommiers,   des poiriers,   des cerisiers...

Dans le **jardin potager**, l'homme cultive de bons légumes !

Les **haies** donnent des petits fruits délicieux :

les mûres,   les framboises,   les noisettes...

LA FLEUR DEVIENT UN BEAU FRUIT GRÂCE AUX... PETITS INSECTES !

En **hiver**,

le pommier est **au repos**.

Au **printemps**,

les boutons des fleurs **s'ouvrent**.

Les **insectes** les butinent et se collent du pollen sur les pattes.

Quand ils se posent sur une autre fleur, le **pollen** tombe et se mélange au pistil de la fleur. Une graine se forme.

Pendant l'**été**,

le **fruit** grossit autour de la graine.

À l'**automne**,

les **pommes** sont prêtes à être cueillies !

LA FORÊT

En toute saison, la forêt est belle avec ses grands arbres, ses mousses, ses belles feuilles que les enfants aiment ramasser !

En automne, le tapis de feuilles mortes, la **litière**, crisse sous les pieds.

La **mousse**, toute douce, pousse par terre ou sur l'écorce des arbres.

Le **bûcheron** coupe les arbres morts et les range en petits tas.

Les **champignons** poussent au sol ou sur les troncs. Certains sont très jolis et pourtant, il ne faut pas les toucher car ils sont dangereux !

Les **ronces** ont des épines sur leur tige. Certains animaux comme les chevreuils en raffolent !

LE PETIT GLAND DEVIENT UN CHÊNE !

Le **gland** est le fruit du chêne.

Au printemps, il commence à **germer** : une racine sort.

Puis d'autres petites **racines** et une **tige** apparaissent.

La jeune **pousse** a bien grandi.

C'est un bébé **chêne**.

Chaque année, le chêne va **grandir**.

Certains chênes vivent **très longtemps**, 1000 ans parfois !

Amuse-toi !

Ramasse et dessine les feuilles de la forêt.
Pose-les sur une feuille de papier et trace leur contour puis avec tes crayons de couleur, colorie-les !

La feuille du châtaignier   Les aiguilles du pin   La feuille du marronnier   La feuille du chêne

LES LACS ET RIVIÈRES

Les lacs et les rivières sont le royaume des plantes et des arbres qui aiment l'eau.

LE LAC

30410

L'eau du lac ne bouge presque pas : elle est **calme**.

Le **nénuphar** a des feuilles en forme de cœur qui flottent à la surface de l'eau. Les grenouilles aiment s'y poser.

Les **lentilles d'eau** ont de toutes petites feuilles rondes qui recouvrent l'eau comme une couverture !

Les **roseaux** poussent au bord du lac. Les oiseaux s'y cachent et y font leur nid.

LA RIVIÈRE

L'eau de la rivière coule vite : elle est **vive**.

Près de la rivière, il y a des **galets** que l'eau a rendus ronds et lisses.

Avec des galets bien plats, on peut faire des **ricochets** !

Le **saule** et l'**aulne** sont des arbres qui poussent au bord de la rivière.

Construis un petit moulin avec l'aide d'un adulte et regarde l'eau le faire tourner.

Amuse-toi !

Matériel :

✶ une petite baguette,

✶ 6 planchettes de cageot,

✶ un gros bouchon de liège,

✶ deux petites branches en forme de fourche.

1. Coupe 6 rectangles de taille égale dans les planchettes de cageot.

2. Découpe 6 entailles régulièrement espacées dans le bouchon de liège. Colle une pale dans chaque entaille.

3. Perce le bouchon de liège en son centre et glisse-y la baguette de bois.

4. Plante les deux fourches dans le ruisseau. Pose la baguette sur les fourches.

Ton moulin est prêt !

LA MONTAGNE

En été, les randonneurs font de l'escalade, observent les fleurs de montagne, cueillent des baies. En hiver, la neige a tout recouvert. Place au ski et à la luge !

EN ÉTÉ
Les troupeaux de bêtes broutent dans les **alpages.**

Les **bergers** les surveillent.

En altitude, les **sapins** sont bien **verts.**

Les prairies sont parsemées de **fleurs** colorées.

Dans la vallée, les **chênes** et les **hêtres** sont en **feuilles.**

Les randonneurs cueillent des **myrtilles.**

EN HIVER
Les alpages sont recouverts de **neige.**
Ce sont des pistes de **ski** !

En altitude,
les **sapins** sont
tout **blancs.**

Les enfants
font de la **luge.**

Dans la vallée, les **chênes**
et les **hêtres** ont **perdu** leurs
feuilles.

Les randonneurs
se déplacent en **raquettes.**

AU BORD DE LA MER

Que d'activités à faire au bord de la mer : jouer avec le sable, pêcher, plonger, ramasser des coquillages...

Le **sable** est formé de minuscules cailloux. Pour construire un château, il faut utiliser du sable mouillé.

Le vent agite l'eau : c'est ce qui crée les **vagues**. C'est drole de sauter dans les vagues !

Attention, quand le **drapeau** est **rouge**, il ne faut pas se baigner car la mer est trop dangereuse !

Sur la **plage**, la mer laisse des pinces de crabe, des plumes d'oiseaux, des coquillages...

COMME C'EST BEAU SOUS L'EAU !

Victor et Léa sont à la plage. Ils veulent découvrir ce qu'il y a **sous la mer**.

Ils enfilent leur **masque** pour voir sous l'eau et leur **tuba** pour respirer.

Léa regarde les animaux qui se cachent dans les algues. Oh, une **étoile de mer** !

Victor observe les petits **poissons colorés** qui nagent autour de lui.

Les enfants montrent ce qu'ils ont ramassé : des **algues vertes** et de **beaux coquillages** !

LES ANIMAUX

LES ANIMAUX DE COMPAGNIE

Chat, chien, lapin, cochon d'Inde, perroquet, tortue…, compagnons à poils, à plumes et à écailles, les enfants les adorent !

Il existe de nombreuses **races** de chats et de chiens. Certains sont très étonnants.

Un chat **sans queue**…

… avec des **oreilles pliées**…

… ou **frisé** comme un mouton !

Le chien le plus **petit** du monde…

… très **poilu**…

… ou plein de **plis** !

DES ANIMAUX TOUT DOUX

Le **lapin nain** est très câlin. Sa jolie fourrure est toute douce : on dirait une peluche !

Le **cochon d'Inde,** aussi appelé cobaye, s'apprivoise très bien. Il adore les caresses.

Le **hamster** vit la nuit et dort le jour. Il est drôle quand il stocke sa nourriture dans ses joues appelées abajoues !

DES ANIMAUX SURPRENANTS

Le **perroquet** est très doué pour parler. Il imite aussi les bruits : la sonnerie du téléphone, le chat qui miaule...

La **tortue de terre** mange de la salade, des fleurs et des fruits. Sa carapace est lourde, elle avance lentement !

Tous les **poissons rouges** ne sont pas rouges ! Et certains ont des têtes bizarres...

LES ANIMAUX DE LA CAMPAGNE ET DE LA FERME

À la campagne, les petits animaux des champs ne sont jamais bien loin des gros animaux de la ferme !

Le **lièvre** est plus grand et a de plus grandes oreilles que le **lapin de garenne**.

Le **faisan** mâle est beaucoup plus coloré que la femelle.

La **taupe** creuse des galeries avec les griffes de ses pattes avant.

Le **hérisson** est couvert de piquants. Il se met en boule quand il a peur.

La **pie** aime emporter des petits objets brillants dans son nid.

La **chauve-souris** vit la nuit. La journée, elle dort la tête en bas !

LA NAISSANCE D'UN PAPILLON

L'œuf → La chenille → La chrysalide → Le papillon

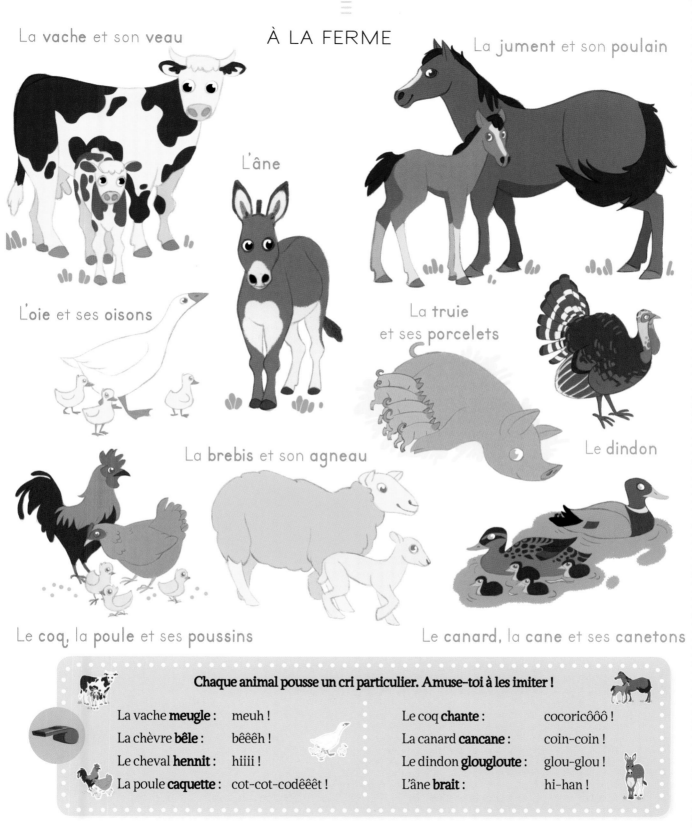

La **vache** et son **veau**

À LA FERME

La **jument** et son **poulain**

L'**âne**

L'**oie** et ses **oisons**

La **truie** et ses **porcelets**

Le dindon

La **brebis** et son **agneau**

Le **coq**, la **poule** et ses **poussins**

Le **canard**, la **cane** et ses **canetons**

Chaque animal pousse un cri particulier. Amuse-toi à les imiter !

La vache **meugle** : meuh !	Le coq **chante** : cocoricôôô !
La chèvre **bêle** : bêêêh !	La canard **cancane** : coin-coin !
Le cheval **hennit** : hiiii !	Le dindon **glougloute** : glou-glou !
La poule **caquette** : cot-cot-codêêêt !	L'âne **brait** : hi-han !

LES ANIMAUX DES BOIS

Les arbustes et les grands arbres de la forêt offrent des cachettes et de la nourriture à tous les animaux.

Le **geai**

Le **pic-vert**

La **chouette**

Le **chevreuil**

Le **cerf**, la **biche** et son **faon**

L'**écureuil** roux

Le **renard**

Le **blaireau** : Il sort la nuit de son terrier.

Le **sanglier** : Il mange des racines, des vers de terre...

82

LA VIE D'UNE FOURMILIÈRE

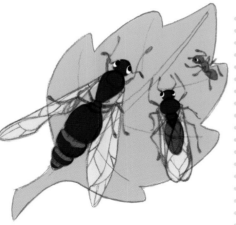

Dans une **fourmilière** vivent trois sortes de fourmis : les reines, les mâles et les ouvrières.

Les **reines** ont des ailes, puis elles les perdent. Chaque jour, elles pondent plusieurs œufs.

Les **mâles** ne travaillent pas. Leur unique rôle est de féconder les reines. Après, ils meurent !

Les **ouvrières** travaillent beaucoup ! Les unes font le ménage, les autres agrandissent ou réparent les galeries...

Certaines s'occupent des œufs et des bébés fourmis : de vraies **nounous** !

D'autres sont chargées de ramener la nourriture. Les **sentinelles** défendent l'entrée de la fourmilière.

Observe les fourmis...

Lorsqu'elles se rencontrent, les fourmis se **palpent** avec leurs antennes pour se reconnaître. Mais si l'une d'elles ne porte pas l'odeur de la colonie, le combat éclate !

Attention ! Certaines fourmis **mordent** ou **piquent** : n'essaie pas de les attraper.

LES ANIMAUX DES ÉTANGS ET DES RIVIÈRES

Les eaux calmes des étangs et les eaux vives des rivières abritent des poissons, mais aussi toutes sortes de petites et grosses bêtes.

Le **brochet** a une bouche garnie de nombreuses dents pointues : un vrai « requin d'eau douce » !

Le **poisson-chat** n'a pas d'écailles : sa peau est lisse. Il a de grandes moustaches !

La **tortue d'eau** se chauffe au soleil. L'hiver, elle s'enfouit dans la vase de l'étang.

Le **castor** construit sa hutte de branches sur l'étang. L'entrée se trouve toujours sous l'eau.

La **libellule** est capable de voler en avant, sur place, à la verticale et même à reculons !

Pour capturer un poisson, le **héron** avance lentement dans l'eau sans faire de bruit. Le **martin-pêcheur**, lui, plonge !

PETIT TÊTARD DEVIENT GRENOUILLE

La **grenouille** pond des centaines d'œufs dans l'eau. Ils sont entourés d'une gelée transparente.

Quand l'œuf éclot, une larve minuscule avec une queue sort : c'est le **têtard**.

Petit têtard grandit vite.
Ses pattes **arrière** poussent...

... puis ses pattes **avant** apparaissent.

Sa **queue** rétrécit avant de disparaître complètement.

Le têtard est devenu une jolie petite grenouille. Et hop ! elle **saute** hors de l'eau.

LES ANIMAUX DES MONTAGNES

Après le froid et la neige, les animaux profitent de la belle saison... et de la nourriture plus abondante !

Le **bouquetin** et le **chamois** sont les rois de l'escalade.

L'**aigle royal** a une vue exceptionnelle : il repère une marmotte de très loin !

Au printemps, le grand **coq de bruyère** danse et chante pour plaire aux poules !

En été, l'**ours brun** se régale de myrtilles et de framboises.

Le **lynx** fait des bonds impressionnants et grimpe aux arbres.

Le **loup** vit et chasse en meute c'est-à-dire en groupe.

LES 4 SAISONS DE LA MARMOTTE

Printemps

La **marmotte** se réveille. Elle est toute **maigre** car sa graisse a fondu pendant son sommeil.

Été

Elle mange beaucoup de plantes et grossit vite. À la fin de l'été, elle est bien **dodue** !

Automne

Elle aménage son **terrier** d'hiver avec du foin. En octobre, elle s'enferme dedans et s'endort.

Hiver

Elle dort bien au chaud dans son nid douillet et vit sur ses réserves de graisse : elle **hiberne**.

HABIT D'ÉTÉ, HABIT D'HIVER !

Certains animaux changent de couleur et deviennent tout blancs en hiver : c'est pour mieux **se cacher** dans la neige !

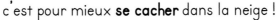

La perdrix des neiges   Le lièvre de montagne   L'hermine

LES ANIMAUX DE LA MER

La mer est le royaume des poissons, des phoques, des baleines,
des dauphins, des tortues, des crabes, des coquillages... Que de monde !

Le **dauphin** :
il aime
sauter.

L'**albatros hurleur** :
il a des ailes géantes.

Un banc de **sardines**

Le grand
requin blanc :
il est très dangereux.

La **baleine bleue** :
c'est le plus grand
animal vivant !

La **pieuvre** :
elle a
8 tentacules.

Le **crabe**

L'**étoile de mer**

L'**hippocampe** :
c'est le papa qui
met au monde
les bébés !

La **langouste**

LA PONTE DE LA TORTUE LUTH
ET LA NAISSANCE DES BÉBÉS

La nuit venue, maman **tortue luth** quitte l'océan et monte sur la plage.

À l'aide de ses pattes arrière, elle **creuse** un trou profond dans le sable.

Elle y **pond** une centaine d'œufs blancs et tout ronds.

Puis elle **recouvre** ses œufs de sable et retourne à la mer.

Environ 2 mois plus tard, les œufs **éclosent.**

Les bébés tortues se regroupent en colonnes et **se hissent** vers la surface. En avant !

Une fois sortis du nid, ils **courent** vers la mer. Gare aux crabes et aux oiseaux !

LES ANIMAUX DE LA SAVANE AFRICAINE

Les plus grands et les plus gros animaux terrestres vivent dans la savane africaine.

Grâce à son long cou, la **girafe** peut manger les feuilles tout en haut des arbres. Mais pour boire, elle doit faire le grand écart !

L'**autruche** est trop lourde pour voler mais elle court très vite. Maman autruche pond les plus gros œufs du monde.

Le **lion** est le roi des animaux. C'est aussi un gros paresseux : il fait la sieste presque toute la journée !

L'**hippopotame** adore prendre des bains de boue.

Chaque **zèbre** a un « pyjama » avec des rayures différentes.

Le **guépard** est l'animal le plus rapide : il court à plus de 100 km/heure !

UNE TROMPE À TOUT FAIRE !

Avec sa trompe, l'**éléphant** d'Afrique **respire** et **sent** les odeurs. Il fait aussi plein d'autres choses...

Il **cueille** des feuilles et arrache des herbes pour manger.

Il **pompe** l'eau et la verse dans sa bouche pour boire...

... ou **s'arrose** la tête et le dos pour se doucher.

Il **aspire** la poussière du sol et l'envoie sur son corps pour chasser les mouches.

Maman éléphant l'utilise pour **caresser** son petit.

Enfin, elle lui sert de **trompette** pour pousser son puissant cri : BRRROA !

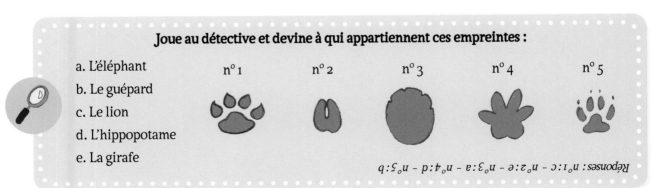

Joue au détective et devine à qui appartiennent ces empreintes :

a. L'éléphant
b. Le guépard
c. Le lion
d. L'hippopotame
e. La girafe

n° 1   n° 2   n° 3   n° 4   n° 5

Réponses : n° 1 : c – n° 2 : e – n° 3 : a – n° 4 : d – n° 5 : b

91

LES ANIMAUX DES FORÊTS TROPICALES

On trouve beaucoup d'animaux très différents dans les forêts tropicales. Certains vivent haut dans les arbres. D'autres passent leur vie au sol.

EN AMÉRIQUE

Le morpho

L'ara

Le toucan

Le paresseux : c'est l'animal le plus lent.

La mygale géante

Le jaguar

Le cabiai

L'anaconda géant : il peut avaler un crocodile !

Le kokoï : c'est une mini-grenouille au poison mortel...

EN AFRIQUE

L'**okapi** : c'est un parent de la girafe.

Le **pangolin** : il ressemble à une pomme de pin géante !

Le **perroquet** du Gabon

EN ASIE

Le **tigre**

Le **calao** bicorne : il a un casque sur la tête !

Le **dragon** volant

Le **rhinocéros** de Sumatra : c'est le plus petit des rhinocéros.

La **panthère** longibande

TÊTES DE SINGES !

Le **nasique** vit en Asie.

Le **ouakari chauve** vit en Amérique du Sud.

L'**orang-outan** vit en Asie.

Le **gorille** vit en Afrique.

LES ANIMAUX DES DÉSERTS

Dans le désert, la vie est très difficile pour les animaux.
Le soleil est brûlant et l'eau est rare.

Le **chameau** a deux bosses.

Le **dromadaire** en a une seule.

Leurs bosses sont des réserves de graisse.

Le **fennec**, aussi appelé renard des sables, n'est pas plus gros qu'un chat !

Maman **scorpion** a une famille nombreuse. Elle porte ses bébés sur son dos !

La **gerboise** peut vivre des années sans boire !
L'eau contenue dans les plantes lui suffit.

Le **serpent à sonnette** a des anneaux durs au bout de sa queue : quand il les agite, ils tintent !

UNE JOURNÉE CHEZ LES SURICATES

Quand le soleil est levé, le **chef** de la colonie sort du terrier.

S'il n'y a pas de danger, les autres le suivent. Au programme : bain de soleil !

Puis ils s'embrassent les uns les autres affectueusement !

Ils passent ensuite beaucoup de temps à rechercher leur nourriture.

Pendant ce temps, l'un des suricates surveille : c'est la **sentinelle.**

Si elle aperçoit un aigle, elle pousse des cris. Tous courent se mettre à l'abri !

Aux heures chaudes, les suricates s'allongent sur le ventre ou sur le dos.

Le soir, ils profitent encore du soleil, se font quelques bisous...

... et disparaissent sous terre. Bonne nuit !

LES ANIMAUX DES RÉGIONS POLAIRES

Dans les régions polaires, l'hiver est glacial et les vents violents. Heureusement, les animaux qui y vivent ne craignent pas le froid !

PRÈS DU PÔLE NORD

L'**ours** blanc

Le **morse**

Le **harfang** des neiges

Le **phoque** du Groenland

Le **renard** polaire

PRÈS DU PÔLE SUD

L'**otarie** à fourrure

Le **gorfou** macaroni

Le **léopard** des mers

L'**éléphant** de mer

LOUP EN VUE...

... aussitôt, les **bœufs musqués** se serrent les uns contre les autres, cornes en avant.

Effrayé, le **loup arctique** préfère garder ses distances. Tant pis, il mangera plus tard !

96

LE MANCHOT EMPEREUR, UN «PAPA POULE» !

Maman manchot **pond** un œuf unique. Elle le **donne** aussitôt à papa et part en mer.

Papa manchot **porte** l'œuf sur ses pattes, bien au chaud sous la peau de son ventre.

Comme les autres papas, il **couve** l'œuf pendant deux mois sans rien manger !

Heureusement, à la naissance, maman revient s'**occuper** du poussin...

... et papa peut, à son tour, **partir** en mer se régaler de poissons.

À ne pas confondre !

Otarie ou phoque ?

À terre, l'**otarie** peut se redresser sur ses longues nageoires avant et **marcher**. Le **phoque**, lui, ne peut pas : il doit **ramper**.

Pingouin ou manchot ?

Le **pingouin vole** très bien. Le **manchot**, lui, ne vole pas : ses ailes lui servent uniquement à **nager** !

LES ANIMAUX D'OCÉANIE

En Océanie, il y a des animaux uniques au monde.
Et certains d'entre eux sont très originaux !

Le papa **casoar à casque** couve les œufs et élève ses petits tout seul.

Le **koala** mange uniquement des feuilles d'eucalyptus.

Le **kangourou** se sert de sa longue queue comme d'un « troisième pied » quand il est assis !

Le **cacatoès** est un perroquet avec une huppe sur la tête qu'il peut baisser ou redresser.

Le **diable épineux** porte bien son nom : ce lézard a le corps couvert de piquants !

L'**échidné** ressemble à un gros hérisson avec une mini-trompe et de longues épines.

BIZARRE, BIZARRE, L'ORNITHORYNQUE !

L'ornithorynque a un corps de loutre, une queue de castor et un bec de canard !

Il stocke sa nourriture dans ses joues et mange en faisant la planche sur le ventre !

La maman ornithorynque pond des œufs, les **couve** et **allaite** ses petits !

Le papa a une arme secrète : une **griffe** venimeuse sur chaque patte arrière !

CHAQUE MAMAN A SA FAÇON DE PORTER BÉBÉ !

Bébé **kangourou**, dans sa **poche**.

Bébé **koala**, à califourchon sur son **dos**.

Bébé **renard volant**, sur son **ventre**.

LA TERRE ET LE MONDE

• • • • • • • • • • • • •

 # LA TERRE

Autour de nous, le sol paraît plat. Mais en fait, la Terre est ronde comme un gros ballon.

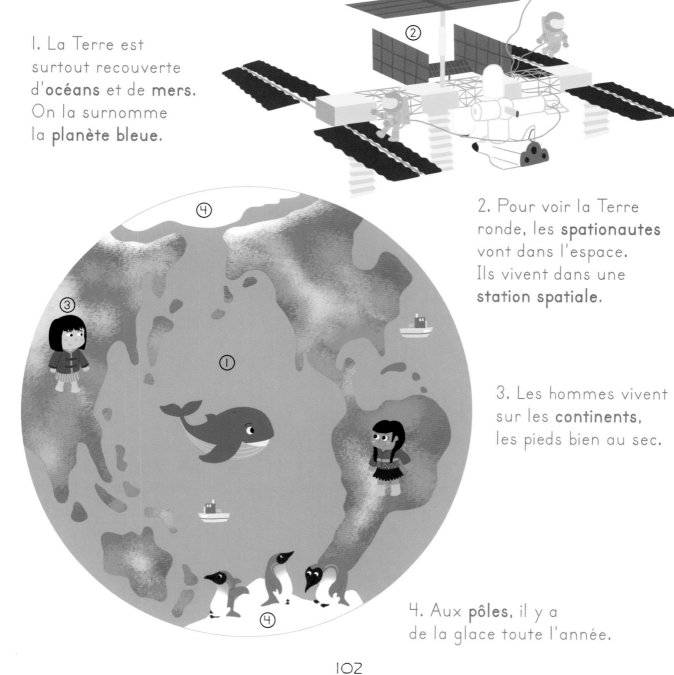

I. La Terre est surtout recouverte d'**océans** et de **mers**. On la surnomme la **planète bleue**.

2. Pour voir la Terre ronde, les **spationautes** vont dans l'espace. Ils vivent dans une **station spatiale**.

3. Les hommes vivent sur les **continents**, les pieds bien au sec.

4. Aux **pôles**, il y a de la glace toute l'année.

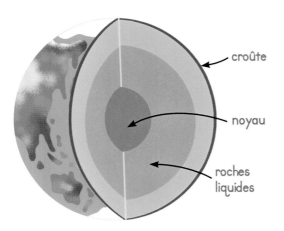

Au centre de la Terre se cache un **noyau** brûlant entouré par une couche épaisse de **roches liquides**.

Au-dessus, la **croûte** faite de plaques de roches recouvre la Terre, comme la peau d'une pêche.

La Terre est entourée par une couche d'air, l'**atmosphère** qui nous protège des rayons dangereux du Soleil.

L'air de l'atmosphère est constitué de **gaz** invisibles comme l'**oxygène** qui permet aux hommes de respirer.

BOUM ! BOUM !

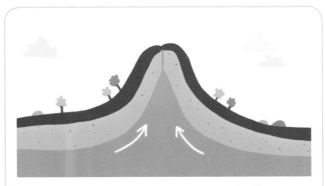

Parfois, les plaques qui recouvrent la Terre **se cognent** et forment une montagne ou un **volcan**.

La **lave** brûlante qui sort des volcans quand ils se réveillent est formée de roches liquides qui remontent des profondeurs de la Terre.

LES SIX CONTINENTS

Sur la Terre, les hommes sont très nombreux ! Ils vivent sur six continents de la planète, dans des pays différents, et ils ne parlent pas tous la même langue.

Dans chaque **continent** se trouvent différents **pays.**

1 Amérique du Nord

2 Amérique du Sud

3 Europe

4 Afrique

5 Asie

6 Océanie

Océan Atlantique

Océan Pacifique

Océan Indien

Pour aller d'un continent à l'autre, il faut souvent traverser les **océans.**

Drissa habite en **Afrique,** il a la peau noire. Elle le protège du soleil.

Anthony habite en **Amérique du Nord.** Il a la peau claire. Il y a moins de soleil.

Li habite en **Chine.** Elle parle le mandarin, la langue la plus parlée dans le monde.

Mia parle l'**italien** avec sa maman et le **russe** avec son papa. Ils viennent de deux pays différents !

Aujourd'hui, on **voyage** beaucoup. Des enfants de différentes **couleurs** et de différentes **langues** vivent sur tous les continents.

VIVRE EN EUROPE

L'Europe est un petit continent composé de nombreux pays qui ont tous une histoire différente. Beaucoup d'hommes y habitent.

Les Européens vivent surtout en **ville**.
Pour se déplacer, ils utilisent le métro, le bus, le tramway, mais aussi le vélo !

Ils aiment aller au cinéma ou au théâtre.
Ils vont aussi visiter des **musées**.

Dans les campagnes, on cultive le **blé** en France et en Ukraine, les **oliviers** en Grèce, les **tomates** en Italie...

La cuisine est très variée : **zarzuela** en Espagne, **pâtes** en Italie, **foie gras** en France, **saumon** en Norvège, **strudel** en Allemagne...

Dans de nombreux pays, on utilise la même monnaie pour payer : l'**euro**.

BRIAN, LE PETIT ANGLAIS

Brian habite à Londres, la plus grande ville du **Royaume-Uni.**

L'été dernier, sa famille a fait le tour de l'**Europe**. Pour traverser la mer, ils ont pris le ferry.

Aux **Pays-Bas**, Brian a découvert les champs de tulipes et les moulins à vent.

En **République tchèque**, ils ont visité les églises et les vieux quartiers de Prague.

En **Grèce**, il a couru sur le stade d'Olympie, la ville des premiers jeux Olympiques.

En **Italie**, Brian a visité Venise, une ville sur l'eau !

En **France**, Brian est monté en haut de la tour Eiffel et a fait un tour de Bateau-Mouche.

À la fin des vacances, ils ont pris le tunnel sous la **Manche** pour rentrer chez eux !

VIVRE EN AFRIQUE

L'Afrique est le plus chaud des continents. On y trouve des savanes, des déserts ou des forêts épaisses. Beaucoup d'Africains vivent à la campagne.

Ils font pousser le **mil**, une céréale, et élèvent des animaux pour se nourrir. Dans certaines régions, l'eau y est très rare.

Dans d'autres régions où il pleut tous les jours, on trouve des **forêts tropicales.** On cultive l'ananas, la banane, le cacao...

De nombreuses maisons sont construites en **terre**, avec un toit de paille ou de tôle.

Quand l'eau ne coule pas au robinet, il faut aller en chercher au **puits**.

Les **marchés** africains sont très animés et très colorés.

ADAMA, LE PETIT IVOIRIEN

Il est 18h, la **nuit** est déjà tombée. Le temps des jeux se termine.

Adama rejoint la **cour** familiale pour se laver avant le repas.

Les femmes et les hommes mangent **séparément**. Adama s'est accroupi près de son père.

Les adultes **se lavent** les mains, puis c'est au tour des enfants.

Pour manger, Adama n'a pas besoin d'assiette, ni de fourchette. Sa **main** lui suffit pour attraper le riz.

Les morceaux de viande sont ensuite partagés. Adama est le plus jeune, il se sert en **dernier**.

Le désert du Sahara en Afrique du Nord

Le **Sahara** est le plus grand et le plus chaud désert au monde. Les **Touareg** y habitent. Ils se déplacent sans cesse avec leurs dromadaires, leurs troupeaux de chèvres et leurs tentes : ce sont des **nomades**.

VIVRE EN AMÉRIQUE DU NORD ET DU SUD

L'Amérique est une immense région. On y trouve les plus longues montagnes et les plus vastes forêts du monde ! Beaucoup d'Américains habitent dans de grandes villes.

New York est une ville d'Amérique du Nord célèbre pour ses gratte-ciel et sa statue de la Liberté.

La Paz est une ville d'Amérique du Sud située tout en haut de la plus longue chaîne de montagnes du monde : les **Andes**.

Le **maïs** est la plante la plus cultivée. C'est l'aliment de base des Américains.

En Amérique du Sud, le **football** est le sport favori des petits et des grands.

Lors du **Carnaval**, les Sud-Américains se déguisent et dansent pendant 4 jours.

LAURA, LA PETITE AMAZONIENNE

Laura habite dans la plus grande forêt du monde : la **forêt amazonienne**.

Tôt le matin, elle accompagne sa mère qui travaille dans les champs de **manioc**.

Elle, garde son petit frère, cueille des **fruits** sucrés, observe les **fourmis**...

Quand il commence à faire trop chaud, elles rentrent au village.

Sur la route, elles s'arrêtent à la **rivière**. Sa mère la lave, la brosse.

Laura aime être toute belle pour aller à l'**école**, chaque après-midi.

Les gardiens de très grands troupeaux

En Amérique du Sud, les **gauchos** gardent les troupeaux de vaches dans des fermes immenses.

En Amérique du Nord, ce sont les **cow-boys** qui surveillent les vaches sur de très vastes étendues.

VIVRE EN ASIE

L'Asie est le plus grand des continents. Il est composé de très nombreux pays aux habitudes bien différentes.

On y trouve des **forêts tropicales**, des **déserts** de sable et de pierres, des **terres gelées**.

Certains hommes vivent dans l'**Himalaya**, la plus haute chaîne de montagnes du monde.

D'autres vivent **en ville**, avec beaucoup de voitures, de cyclomoteurs, de vélos, de pousse-pousse !

Dans les campagnes, le riz pousse dans les **rizières**. Il a besoin de beaucoup d'eau.

Pendant la saison de la mousson, il pleut beaucoup. Parfois, il y a des **inondations**.

En Chine et au Japon, l'écriture ressemble à des petits **dessins**.

MIKI, LA PETITE JAPONAISE

Miki a 4 ans. Elle vit à **Tokyo**, dans la plus grande ville du Japon et du monde !

Chaque matin, en arrivant à l'**école**, elle enlève ses chaussures et enfile des chaussons.

Aujourd'hui, comme chaque mois de mars, la classe prépare «Hina matsuri», la fête des **poupées**.

Miki apprend à faire une poupée en **origami** en pliant une feuille de manière bien précise.

À l'heure du déjeuner, les tables sont rassemblées. Miki utilise des **baguettes** pour manger son riz.

Au Japon, il y a parfois des **tremblements de terre**. Cet après-midi, la maîtresse rappellera comment se cacher sous la table pour se protéger.

VIVRE EN OCÉANIE

En Océanie, les hommes vivent sur des milliers d'îles, éparpillées dans l'océan Pacifique. Certaines sont minuscules, d'autres immenses !

L'**Australie** est la plus grande île d'Océanie. C'est aussi la plus grande du monde.

Les Australiens habitent près de la **mer**, car au centre du pays, il y a de grands **déserts**.

Sur l'île de **Nouvelle-Zélande**, les hommes élèvent de grands troupeaux de moutons pour leur viande et leur laine.

Sur les nombreuses autres petites **îles**, on mange beaucoup de poissons et de fruits tropicaux : mangues, papayes...

Les **plages**, les cocotiers et la mer turquoise font rêver les touristes des autres continents.

Le surf est le sport préféré des habitants de l'île d'**Hawaï**. Le but du jeu est de glisser sur les vagues sans tomber.

LIZE, LA PETITE NÉO-ZÉLANDAISE

Lize habite en **Nouvelle-Zélande**. Elle parle anglais.

Avec sa classe, elle visite un *marae*, le lieu de fête des **Maori**, les premiers habitants de la Nouvelle-Zélande.

Il y a très longtemps, les Maori ont quitté les îles de Polynésie. Ils sont arrivés en Nouvelle-Zélande sur des **pirogues**.

Ils dansaient des **hakas**, des danses de combat. Aujourd'hui, la classe de Lize les apprend toujours.

À midi, la classe creuse un trou comme les Maori et fait cuire la viande sur des **pierres brûlantes**.

L'après-midi se termine par un grand match de **rugby**. En Nouvelle-Zélande, tout le monde pratique ce sport !

VIVRE AUTOUR DU PÔLE NORD

Depuis très longtemps, des hommes vivent sur les terres gelées qui entourent le pôle Nord.

Les principaux habitants sont les **Inuits**. Autrefois, ils vivaient de la chasse, de la pêche ou de l'élevage de rennes.

Avec des blocs de neige, ils construisaient parfois des **igloos.**

Aujourd'hui, les Inuits vivent dans des villes. Ils se déplacent en quad ou en **motoneige.**

L'hiver, ils portent des vêtements bien chauds : des **anoraks**, des **bottes** en fourrure... L'été, un pull suffit.

En hiver, les jours sont très courts. Il fait **nuit** quand les enfants vont à l'école et en reviennent.

Il n'y a pas de routes entre les villes. Certains Inuits utilisent encore des **traîneaux** tirés par des chiens.

MINIK, LE PETIT INUIT

Chaque été, Minik part vivre avec sa famille sur une **île** au Nord du Canada.

Cette année, il apprend à construire un **kayak** avec son père.

Autrefois, le grand-père de Minik s'en servait pour chasser les **phoques**.

Près du **campement**, sa mère et sa sœur pêchent des poissons dans la rivière.

Ce soir, une fête est organisée. La viande de **caribou** est partagée entre tous les invités.

La soirée se poursuit avec des chants, des jeux d'adresse et des **contes**, drôles ou effrayants !

PROTÉGER LA PLANÈTE

Pour vivre, les hommes utilisent les ressources de la planète.
Autrefois, un petit peu. Aujourd'hui, beaucoup trop !

Les voitures, les usines...
envoient de la fumée dans
l'atmosphère et la planète
se réchauffe !

Les **déserts** deviennent
de plus en plus **grands**.

Aux pôles, les glaces **fondent**.

Il y a de plus en plus souvent
des **tempêtes**, des **inondations**
et de la **sécheresse**.

Pour se nourrir, l'homme
pêche des **poissons**. Il y en
a de **moins** en **moins**.

Pour fabriquer des meubles
ou du papier, on coupe les arbres.
Les forêts et les animaux qui
y vivent **disparaissent**.

ET TOI, QUE PEUX-TU FAIRE ?

Quand tu pars en promenade, il vaut mieux prendre le **vélo**, le **bus** ou le **train** plutôt que la voiture.

N'oublie pas d'**éteindre** la lumière en sortant de ta chambre.

Prends une **douche** au lieu d'un bain. Tu utiliseras moins d'eau !

Trie les déchets à mettre dans les poubelles car certains peuvent servir à fabriquer de nouvelles choses.

Mets les restes de fruits et de légumes dans un coin de ton jardin. Ils deviendront une **terre** très **riche.**

Fabrique des « maisons » pour **protéger** les animaux : des nichoirs pour les oiseaux, des petits tas de bois pour les hérissons...

L'UNIVERS

· · · · · · · · · · · ·

LA TERRE, LE SOLEIL ET LA LUNE

On ne le sent pas mais la Terre bouge. Elle tourne sans arrêt autour du Soleil. C'est pourquoi il y a les jours, les nuits, les saisons.

La Terre tourne **sur elle-même** comme une toupie. Elle met **un jour** pour faire un tour.

La Terre tourne aussi **autour du Soleil**. Son voyage dure **une année**.

Quand le côté de la Terre est **face** au Soleil, il fait **jour**.

Quand le côté de la Terre est **cachée** du Soleil, il fait **nuit**.

ÉTÉ

Quand elle tourne autour du Soleil, la Terre ne reçoit pas toujours la même lumière...

HIVER

... ni la même chaleur. C'est pourquoi les jours d'**été** et les jours d'**hiver** reviennent chaque année.

LES VISAGES DE LA LUNE

La **Lune** n'est pas immobile. Elle tourne sans cesse autour de la Terre.

La nuit, elle brille dans le ciel car le Soleil l'éclaire. Mais... pas toujours de la même façon !

Ainsi, certains soirs, la lune est toute ronde. C'est la **pleine lune**.

Souvent, seul un morceau de lune est visible : un **croissant**, un **quartier**...

Parfois, on ne voit pas de lune du tout. Elle s'est cachée ! !

Le JOUR ou la NUIT ?

Sur une table, pose une torche électrique (le Soleil) face à une balle (la Terre). Allume la torche et fais tourner la balle sur elle-même comme une toupie. Regarde, le côté éclairé va passer dans la nuit !

123

LA TERRE DANS L'UNIVERS

Notre planète Terre et le Soleil, son étoile, font partie de l'Univers. Les oiseaux, les arbres et les hommes aussi. L'Univers est si vaste qu'il existe des milliards de planètes et d'étoiles.

Une **étoile filante** n'est pas une étoile mais un caillou qui brûle en traversant le ciel.

Toutes les étoiles que l'on voit dans le ciel sont des « **soleils** ».

Certaines étoiles sont brillantes, d'autres plus **rouges**, plus **bleues**...

On observe les lointaines planètes avec un **télescope**.

Les **étoiles**

Les **étoiles** sont d'énormes boules de feu
qui brûlent, comme notre Soleil.

Notre étoile,
le **Soleil**

Le **Soleil** est l'étoile la plus proche
de notre planète Terre. Il nous réchauffe.

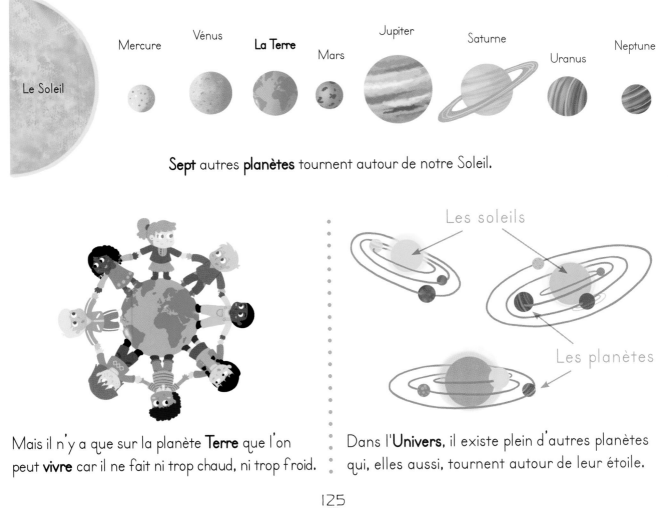

Le Soleil   Mercure   Vénus   **La Terre**   Mars   Jupiter   Saturne   Uranus   Neptune

Sept autres **planètes** tournent autour de notre Soleil.

Les soleils

Les planètes

Mais il n'y a que sur la planète **Terre** que l'on
peut **vivre** car il ne fait ni trop chaud, ni trop froid.

Dans l'**Univers**, il existe plein d'autres planètes
qui, elles aussi, tournent autour de leur étoile.

INDEX

RÉDACTION

Le corps / La maison et la ville : **Agnès Besson**
L'Histoire : **Marion Augustin**
La nature : **Juliette Chériki-Nort**
Les animaux : **Sylvie Bézuel**
La Terre et le monde / L'Univers : **Gaëlle Lahoreau**

ILLUSTRATIONS

Le corps : **Julie Mercier**
La maison et la ville : **Jocelyn Millet**
L'Histoire : **François Foyard**
La nature : **Mélisande Luthringer**
Les animaux : **Nina Caniac**
La Terre et le monde / L'Univers : **Sophie Verhille**

Direction de la publication : Sophie Chanourdie
Édition : Marie-Claude Avignon
Responsable artistique : Laurent Carré
Mise en pages : Romuald Gallauziaux
Lecture-correction : Joëlle Narjollet
Fabrication : Rebecca Dubois

© Larousse 2012 pour la première édition
© Larousse 2017 pour le présente édition
21, rue du Montparnasse 75006 Paris

ISBN : 978-2-03-594439-9
Photogravure : Irilys
Imprimé en Espagne par Edgesa
Dépôt légal : octobre 2017
320006-02 - 11037786 - janvier 2018